Walt Disney présente

DUMBO
apprend à voler

GROLIER LIMITÉE
Montréal

ISBN 0-7172-2842-8

Dépôt légal 4e trimestre 1991
Bibliothèque nationale du Québec

Imprimé aux États-Unis

Le printemps est là!

Le cirque est revenu dresser ses chapiteaux.

Toute la place retentit du bruit des préparatifs, le maître de piste crie des ordres.

Les animaux aussi sont occupés.

La maman léopard lèche son petit.

«Voyez mon délicieux bambin, quel amour!» dit la chamelle, très fière de son rejeton.

«Le tien est beau, mais le mien est superbe!» affirme maman otarie.

Mais, à l'écurie, une mère soupire de tristesse. C'est Jumbo, l'éléphante. Elle attend son petit depuis longtemps déjà, mais il n'est toujours pas là.

Puis un beau jour, le bébé éléphant naît enfin.

«Regardez, dit sa mère, n'est-il pas mignon? Je me demande comment je vais l'appeler. Que pensez-vous de Dumbo?»

L'éléphanteau
éternue alors.
A-A-AT-CHOUM!
«OOH! AAH!»
dit-on à la ronde.
«Avez-vous vu
SES OREILLES?»

Tous les autres éléphants rient à la vue des grandes oreilles de l'éléphanteau.

«Qu'il est drôle! Je crois que le nom de Dumbo lui ira très bien», dit l'un d'eux.

Devant l'air tout attristé de son éléphanteau, Jumbo l'attire contre elle et le berce tendrement.

«Tu as beau avoir de longues oreilles, dit-elle, tu restes mon bébé et je t'aime. Un jour, tu seras une grande vedette, j'en suis sûre.»

Le lendemain, c'est la parade! Les éléphants défilent en ville, l'un derrière l'autre, se tenant par la queue. Dumbo, le plus petit, ferme la marche.

DZIM! BOUM! BOUM! L'orchestre bat la cadence.

Puis un enfant pointe Dumbo du doigt: «Oh! là, là! Regardez ses oreilles! Comme elles sont grandes!»

À ces mots,
Dumbo se trouble.

Il marche sur
son oreille droite…

puis pose une
patte sur son
oreille gauche.

Il trébuche
et se retrouve
étendu par terre
de tout son
long.

«Tu ne deviendras jamais une grande vedette de cirque de cette façon», lui dit un des éléphants.

Puis un gamin dit: «Qu'il est maladroit, celui-ci!»

C'est alors que Jumbo, fâchée, l'empoigne du bout de sa trompe et se met à le secouer.

«Au secours! Au secours!» crie le garçon.

«Oh, oh!, pense Dumbo, ça va mal tourner!»

Et Dumbo a raison.

La foule se disperse en criant: «Cette éléphante est devenue folle! Sauve-qui-peut!»

Le gardien s'amène alors et enchaîne Jumbo.

Puis il l'emmène dans une cage.
«Voilà, Jumbo, tu es punie. Ici, tu ne causeras pas d'ennuis.» Dumbo les suit tristement. Tout ça est de sa faute.

«Mon pauvre petit, dit Jumbo, qui va s'occuper de toi?»

«Ne t'inquiète pas, m'man, répond bravement l'éléphanteau, je ne ferai pas de bêtises, c'est promis.»

Les autres éléphants sont réunis et discutent: «Qu'allons-nous faire de ce petit maladroit qui nous cause tant d'ennuis?»

«Il ne peut faire partie de notre spectacle, il fera rire les spectateurs», dit l'un.

«Eh bien, dit un autre, qu'on en fasse un clown!»

Les clowns sont ravis d'avoir Dumbo avec eux. Ils lui peinturent le visage pour lui donner un air amusant.

Mais Dumbo n'est pas heureux.

Il veut être un éléphant, pas un clown.

Le soir venu, les éléphants exécutent leur numéro sans Dumbo.

Puis, c'est au tour des clowns avec leur numéro de pompiers.

Il y a un camion, une échelle, un boyau d'arrosage, un filet et un bac rempli d'eau.

Mais où est Dumbo?

Dumbo est dans la maison en feu.

«Saute, Dumbo, saute!» crient les clowns.

Mais Dumbo a un peu peur, même s'il y a un filet pour l'attraper.

Finalement, il saute et atterrit dans le filet sans dommage. «Bravo! Bravo!» s'exclament les clowns. «Tu as été merveilleux.»

Mais Dumbo n'est pas content.

Il s'ennuie de sa maman et il ne veut pas faire le clown.

Le lendemain, Timothée, la souris, trouve Dumbo tout triste dans un coin.

«Ne sois pas si triste», dit Timothée. «Je suis ton ami et je vais t'aider.»

«Ces grandes oreilles doivent bien pouvoir servir à quelque chose!

«Peut-être puis-je t'apprendre à voler!»

Alors Timothée emmène Dumbo dans la forêt.

«Monte sur ce tremplin, agite rapidement les oreilles, saute et envole-toi», dit-il à Dumbo.

Trois corbeaux les observent, ahuris. «Il n'y arrivera pas, il est bien trop lourd», pensent-ils.

Dumbo, pas trop convaincu, s'exécute…

et tombe à plat sur le sol.
«Jamais je n'y arriverai»,
dit-il.

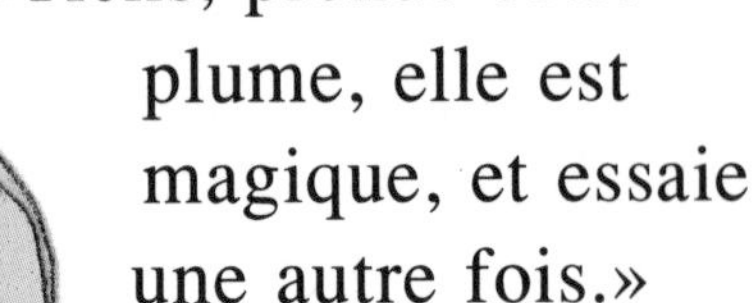

Mais Timothée a une idée.
Il ramasse une plume de
corbeau et la donne à Dumbo.
«Tiens, prends cette
plume, elle est
magique, et essaie
une autre fois.»

Alors Dumbo bat des oreilles et saute en tenant fermement la plume dans sa trompe.

Et, oh surprise! Voilà qu'il vole!

«Tu as réussi, Dumbo!» s'écrie Timothée perché sur la tête de l'éléphanteau.

Les trois corbeaux n'en croient pas leurs yeux.

Plus sûr de lui, Dumbo s’élève de plus en plus haut.

«Eh bien, on aura tout vu!» dit le corbeau à lunettes. «Un éléphant qui vole!»

«Avec un tel numéro, Dumbo sera la plus grande vedette du cirque», dit Timothée.

Dumbo est le plus heureux de tous les éléphanteaux!

Ce soir-là, Dumbo doit de nouveau sauter de la maison en feu.

Mais cette fois, Timothée l'accompagne, perché sur son chapeau, et Dumbo tient dans sa trompe la plume «magique».

«Saute!» lui crient les clowns.

«Vole!» lui murmure Timothée à l'oreille.

Et Dumbo s'élance dans les airs et s'envole.

Mais Dumbo perd soudain sa plume.

«Au secours!» crie désespérément l'éléphanteau. «Je ne peux pas voler sans ma plume magique!»

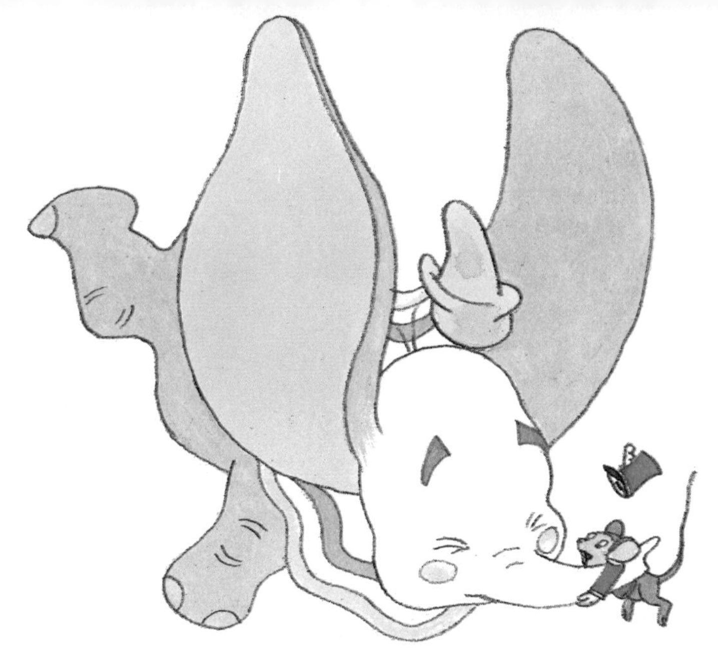

Timothée se laisse alors glisser sur la trompe de Dumbo.

«Dumbo, Dumbo!» crie-t-il. «Cette plume n'était pas magique. Tu peux voler sans elle.»

«Tu le crois vraiment, Timothée?» demande Dumbo.

«J'en suis sûr!» répond la souris. «Allez, bats des oreilles et VOLE!»

Alors Dumbo se met à battre ses oreilles le plus rapidement qu'il peut.

Petit à petit, il reprend de l'altitude.

«Je vole! Je vole!» crie Dumbo. Rassuré, il exécute quelques tourbillons au grand plaisir de la foule.

«Hourra!» s’exclame Timothée, qui a repris sa place dans le chapeau de Dumbo. «Tu es maintenant une grande vedette de cirque. Écoute la foule!»

Les spectateurs applaudissent à tout rompre. «Mesdames et Messieurs, voici l'incroyable éléphant volant!» annonce le maître de piste.

Enfin, Dumbo atterrit au beau milieu des éléphants.

«Bravo, Dumbo! Tu as volé la vedette ce soir», disent-ils.

«Hourra pour Dumbo!» crie le maître de piste.

«Demande-moi ce que tu veux et je te l'accorderai tout de suite.»

Dumbo n'hésite pas un seul instant: «Je veux que vous libériez ma mère», dit-il.

Le maître de piste se rend immédiatement à la cage suivi de Dumbo.

«Ton fils est une grande vedette, Jumbo», lui dit-il.

«Est-ce bien vrai, Dumbo?» lui demande sa mère.

«Oui, m'man. Je sais voler!» répond l'éléphanteau.

Jumbo est très fière de son fils et le caresse du bout de sa trompe.

«Je savais que tu serais une grande vedette un jour», lui dit-elle.

«Oui, mais je n'y serais pas arrivé sans l'aide de mon ami Timothée», répond Dumbo.

Timothée sourit. Il est très fier de son ami Dumbo l'éléphant volant.